Sorci
et
carabistouille

D'abord, on joue !

Relie les lettres de l'alphabet.

Le mot « **rat** » est caché dans l'image, le vois-tu ? Trouve les lettres !

Super !

Tim Tom Sam miam maman

mamie tomate moto rime

métro boum gomme lame

pomme camion vroum montre

Et si on inventait une histoire ?

Choisis l'histoire que tu préfères.

Tom/Tim aime les pommes/tomates.
Il file en demander à sa maman/mamie.
Mais elle part acheter une gomme/
montre en métro/camion. Vroum/Boum !

Bravo !

3

Et maintenant, un peu de sport pour ta bouche.

Crrr Krrr Qrrr Crrr Krrr Qrrr

Encore une fois !

Qui est qui ?

Relie chaque mot à sa définition.

chat   **rat**   **crapaud**   **corbeau**

● Il a souvent
la peau toute verte.

● Il ronronne
quand il est content.

● Il est
tout noir.

● Il ressemble
à une grosse souris.

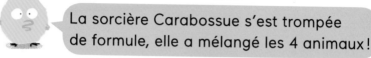

Abracadabracata !

La sorcière Carabossue s'est trompée de formule, elle a mélangé les 4 animaux !

C'est un characorcra !

Le titre de l'histoire s'est un peu effacé. Peux-tu le deviner ?

SORCIÈRE ET CARABISTOUILLE

Allez, on souffle un peu !

Ffff   sss   chchch   zzz   ffff

sss   chchch   zzz

Quelle histoire !

La sorcière rentre sur son .

Le est adorable.

Le et le sont très gentils.

Le aussi.

Bizarre, bizarre, non ?

Et maintenant, ton histoire !

Sorcière
et
carabistouille

Une histoire de Jean Leroy,
illustrée par Florence Langlois

Carabossue est une sorcière.
Elle vit dans une **chaumière**,
tout au fond de la forêt.

8

Carabossue n'a pas d'amis,
pas d'amoureux, personne !
Elle préfère rester avec
ses animaux.

Un soir, Carabossue rentre
chez elle sur son balai.
Elle est très, très fatiguée.

Quand elle ouvre la porte,
son rat lui dit :
– Coucou, Carabossue !
Donne-moi, ton balai :
je vais le ranger !

La sorcière est surprise.
Elle se dit :
« **Carabistouille !**
Mon rat ne me rend
jamais service,
d'habitude ! »

Voici maintenant
le corbeau.

Il dit :
– Salut, Carabossue !
Donne-moi ton manteau
et ton chapeau.

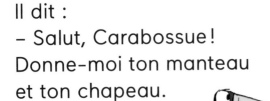

Je vais les
accrocher !

La sorcière est **stupéfaite**.
Elle se dit :
« **Carabistouille!**
Mon corbeau aussi me rend service!
Mais qu'est-ce qui se passe ici? »

Voici à présent
le chat.

Il dit :
– Bienvenue, Carabossue !
Donne-moi tes bottines :
je vais les brosser !

La sorcière est **sidérée**.
Elle se dit :
« **Carabistouille!**
Mon chat tout méchant
est devenu tout mignon! »

Et, enfin, voici
le crapaud.

Il saute sur les genoux
de Carabossue et il lui dit :
– Bonsoir, ma chérie !
Tu veux un gros bisou ?

Cette fois, c'en est trop!
Carabossue se met à crier :
– **Au secours!**
Au secours!
Et...

La sorcière se réveille dans son lit !

Ses animaux la regardent
d'un air étonné.

– Carabistouille! J'ai fait
un cauchemar : j'ai rêvé
que vous étiez gentils!

Fin

Tu as aimé ?

Oui ?

Chouette alors !

Allez, maintenant, on se détend !

Tourne la page...

Il était une sorcière
Et ron et ron, petit patapon,
Il était une sorcière
Dormant dans sa chaumière, ron ron,
Dormant dans sa chaumière.

Elle fit un cauchemar,
Et ron et ron, petit patapon,
Elle fit un cauchemar
Et cria dans le noir, ron ron,
Et cria dans le noir.

23

À bientôt !

Les jeux sont réalisés par l'éditeur et illustrés par Florence Langlois.

© 2014 Éditions Milan
1, rond-point du Général-Eisenhower, 31101 Toulouse Cedex 9, France.
editionsmilan.com

Loi 49.956 du 16.07.1949 sur les publications
destinées à la jeunesse.
Dépôt légal : 3e trimestre 2017
ISBN : 978-2-7459-7184-5
Imprimé en Roumanie par Canale